L.V. & Cie

MOBILIER LYONNAIS

16-18 rue de l'Amiral Mouchez,
75014 Paris. Tél : 45 65 48 48

ISBN 2-7072-0276-2

Aubin Imprimeur, 86240 Ligugé. — D.L. février 1995. — Impr. P 48538. — Reliure par la SIRC à Marigny-le-Châtel

ÉDITH MANNONI

MOBILIER LYONNAIS

ÉDITIONS
MASSIN

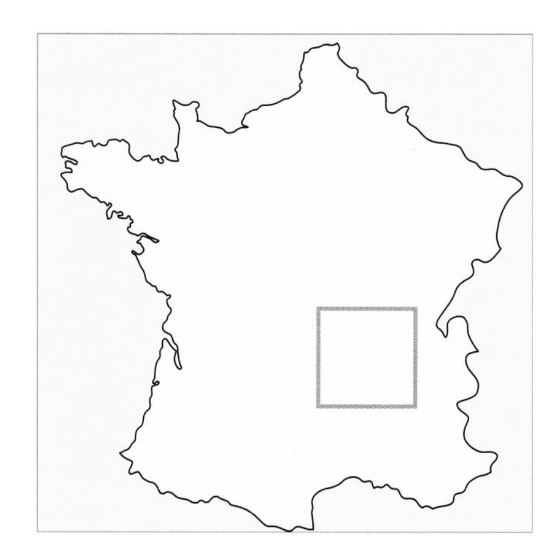

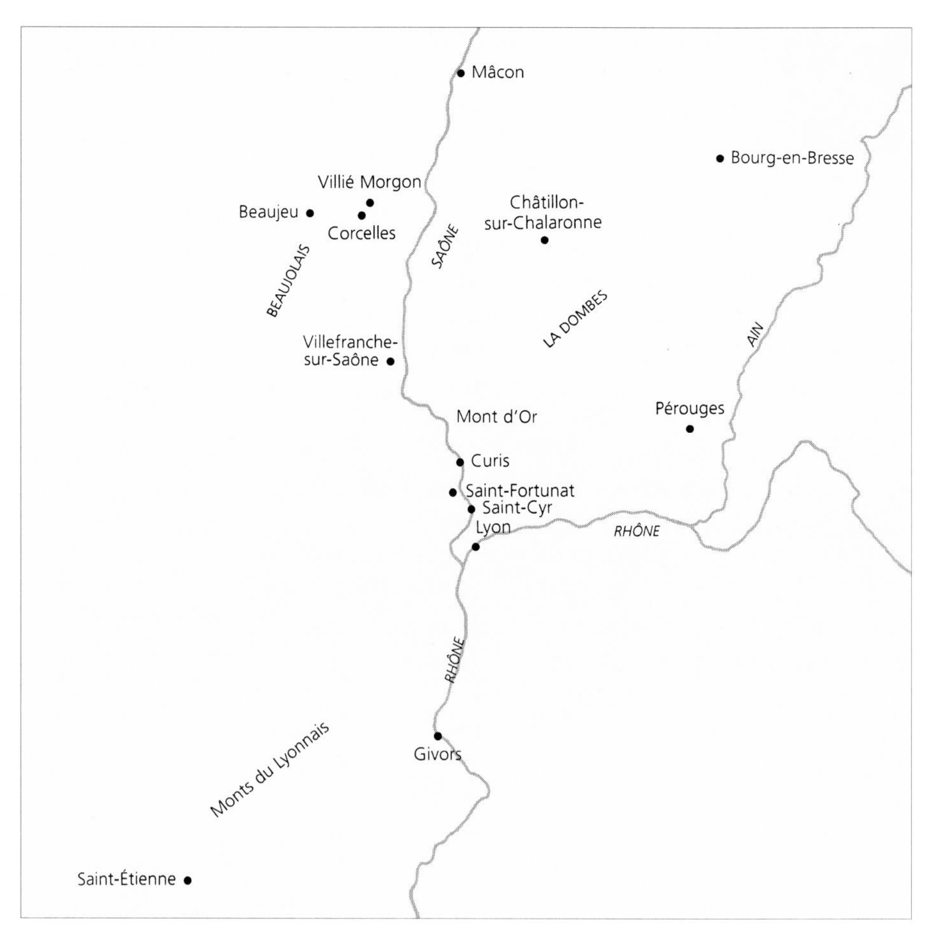
Mâcon
Bourg-en-Bresse
Villié Morgon
Beaujeu
Corcelles
Châtillon-
sur-Chalaronne
SAÔNE
BEAUJOLAIS
LA DOMBES
AIN
Villefranche-
sur-Saône
Mont d'Or
Pérouges
Curis
Saint-Fortunat
Saint-Cyr
Lyon
RHÔNE
RHÔNE
Monts du Lyonnais
Givors
Saint-Étienne

Sommaire

ONUMENTAUX, carrés, admirablement proportionnés, les meubles lyonnais sont de beaux cubes couverts de broderies de bois.

Ils sont le produit, non d'une province, mais d'une ville. Et quelle ville !

Capitale de la Gaule, elle a manqué de peu d'être celle de la France. Au moment où des seigneurs du Parisis, guerroyant contre les Normands, se sont imposés comme grands chefs, Lyon disparaît dans les profondeurs du Saint Empire romain germanique. En effet, au partage des possessions de Charlemagne entre ses trois fils (843), Lyon et toute la rive gauche du Rhône sont adjugés à la Lotharingie, large bande allant de la Lorraine à la Provence, nation dont se sont emparés les empereurs allemands. En 1275 seulement, la cité devient française, ses bourgeois, rebellés contre l'archevêque, lui arrachent des libertés, fondent une « commune jurée » et appellent le roi de France comme protecteur. Enfin rattachée à la Couronne en 1312, Lyon se préserve une certaine autonomie. Elle restera au XVIe une ville libérale, plus accueillante que Paris aux intellectuels de tout bord, progressistes plus ou moins contestataires.

Elle commence par accueillir, fin XIVe, les proscrits chassés par les guerres civiles en Italie. C'est le début de l'industrie de la soie.

1420 : à la suite de la Guerre de Cent Ans, les célèbres foires internationales de Champagne, qui se tenaient à Troyes, sont remplacées par celles de Lyon, qui devient un des premiers entrepôts marchands du monde.

Au vu de ce succès, Louis XI accorde à la cité de tenir quatre foires annuelles, ce qui engendre un formidable courant commercial (1463).

Aussitôt des banquiers italiens s'installent à Lyon, parmi lesquels les illustres Médicis qui y transfèrent leur succursale de Genève.

Ils sont suivis par une cohorte différente, mais tout aussi moderne et dynamique : les imprimeurs allemands. Ville de la soie et de la banque, Lyon devient ville du livre.

Second centre bancaire du royaume, Lyon est la rivale de Paris pour l'imprimerie. Un atelier s'installe dès 1473. Fin XVe, on en compte cinquante-trois et en 1548, quatre cents. Lyon ne craint pas d'éditer des auteurs ailleurs censurés : Clément Marot, Rabelais, Étienne Dolet. Cette imprimerie de qualité s'adjoint des artistes graveurs sur bois.

En 1478, y est publié le premier livre à gravures, *Le Miroir de la Rédemption de l'humain lignage*.

Les grands éditeurs prennent l'habitude de demander des vignettes à des maîtres graveurs, dont le plus renommé est Bernard Salomon. Et les « tailleurs d'images » se multiplient. Ils se spécialisent dans la gravure sur bois (et les cartes à jouer) ce qui n'est pas sans retentissement sur le mobilier.

Autre événement historique important pour le meuble lyonnais : quand les campagnes guerrières de Charles VIII et Louis XII partis conquérir des territoires à Naples et Milan font connaître aux Français la Renaissance italienne, les éditeurs lyonnais sont aux premières loges pour propager cette nouvelle mode artistique.

Il s'ensuit un prodigieux foisonnement intellectuel. Dans les salons, des artistes discutent de mystique architecturale et mathématique, dissertent des principes et des arcanes – mystères – de la composition. Ils commentent le *Songe de Polyphème* de Francesco Colonna, « merveilleux rêve architectural » ainsi que les traités sur la « Section d'Or », secret des initiés qui a trait à l'harmonie des rapports. D'après le nombre d'or, rappelons-le invention des Grecs, le « beau » rectangle doit avoir pour 1 m de large 1,618 m de long.

Ainsi Lyon assimile les arts italiens plus vite et plus complètement que bien d'autres régions françaises. Mais entre les modèles issus des grotesques romains – découverts en 1415 à Rome dans les « grottes » de Titus – et les ateliers de menuisiers lyonnais, il y a eu un agent de transformation : une pléiade de dessinateurs et de graveurs.

Pour s'exprimer, ceux-là ont trouvé à leur disposition les surfaces bien carrées ou rectangulaires, bien proportionnées que proposent crédences, deux-corps et buffets construits selon les principes classiques les plus observés.

Ainsi le livre a influencé le mobilier lyonnais de deux façons. Des ouvrages spécialisés apprennent aux fabricants de meubles des règles esthétiques. Tous offrent aux ornemanistes des modèles décoratifs par les illustrations qu'ils renferment, notamment les encadrements de pages de garde et de frontispices.

Ainsi la décoration du meuble de Lyon ressort plus de l'art graphique que de la sculpture. Elle ressemble à de la gravure sur bois.

Voici comment se développe à la Renaissance un superbe mobilier, curieux, voire paradoxal, engendré par la forte demande d'une riche bourgeoisie d'affaires, très cultivée.

Deux corps délicatement modelés sur les tiroirs, un riche décor de grotesques sur les portes ennoblissent ce quatre-portes typiquement lyonnais. Musée historique de Lyon.

Humanisme en rondeurs

EH OUI ! Au XVIe siècle à Lyon se bousculent les banquiers florentins, les soyeux génois, les imprimeurs allemands, les graveurs sur bois disciples de Dürer. Rabelais s'y sent libre et heureux, y exerce ses plus beaux dons de médecin, y publie deux énormes chefs-d'œuvre, *Gargantua* (1532) et *Pantagruel* (1534). Une femme de grâce et d'esprit y célèbre l'amour et la volupté, et tient salon pour les poètes et les érudits : Louise Labbé, la Belle Cordière. Les artistes, revenus de l'Italie toute proche, font grand bruit.

A Lyon est construit le premier édifice classique de France : l'hôtel Bullioud (1536) dû à l'architecte Philibert de l'Orme.

Ce futur auteur de palais royaux (châteaux de Fontainebleau, de Saint-Germain, d'Anet et galerie de Chenonceaux), a orienté et l'architecture de la France dans la voie classique qui nous poursuit encore et la structure des meubles lyonnais, très marqués par ses principes.

Né à Lyon en 1515, Philibert appartient à une lignée qui s'est abreuvée aux meilleures sources.

Les premiers de l'Orme, Toussaint et Pierre, travaillent au château de Gaillon (voir *Mobilier de haute Normandie*), comme maîtres d'œuvre et sculpteurs.

Chef-d'œuvre de la Renaissance, cette exceptionnelle crédence en noyer expose admirablement des caractéristiques tout à fait lyonnaises. Un décor original anime une structure très simplement quadrangulaire. Typique de Lyon : pas de fronton, pas de colonnes mais des corniches droites qui commandent une série d'horizontales bien marquées, créant un rythme de façade pur et harmonieux. Ce rythme rectiligne sert de base à une animation ornementale très particulière, à lignes sculpturales complexes. Des « termes en gaines », figures humaines aux jambes remplacées par des stèles, servent d'éléments de soutien.
Les façades portent une gravure en bas-relief très fouillé.
En bas, un vaste motif à grand mascaron au centre de « cuirs découpés » et de rameaux feuillagés. En dessous, abattant ouvrant sur un coffre dans la base, le long de laquelle courent des moulures en doucine sculptées. Mêmes moulures au-dessus des cariatides et de la tête d'ange ; dans le creux de la doucine supérieure, on distingue le bord d'une tablette rentrante, formant un écritoire lorsqu'elle est tirée. Ce bord est orné, sur chant, d'une marqueterie dans le goût florentin, marqueterie qui se retrouve sur les côtés et au fronton.
Vers 1580. 116 x 50 cm. H : 149 cm.
Noël Perrin.

Jean s'installe à Lyon où naît son fils Philibert qui part à Rome (1534) où il se familiarise avec les monuments antiques. Les fouilles archéologiques au Forum sont alors furieusement à la mode.

A son retour, Philibert de l'Orme influence le mobilier lyonnais à travers son traité *L'Architecture*, paru en 1567.

Il se révèle novateur, s'écartant des principes énoncés par Vitruve, architecte romain du temps de César (88-26 avant notre ère) dont l'œuvre, imprimée à Venise en 1486, circule partout en Europe parmi les élites cultivées, passionnant les théoriciens de la Renaissance. C'est Vitruve qui a fixé les règles de l'art et enseigné que les proportions des temples grecs sont celles du corps humain.

Mais Philibert de l'Orme veut inventer un style propre à la France, s'inspirant d'un ouvrage moins connu qu'il avait trouvé en Italie, un mémoire de Francesco Giorgi paru en 1535 ; il oppose aux règles grecques païennes un ordre divin découvert dans la Bible, basé sur les mesures de l'Arche de Noé.

Il humanise également la façade classique, inspirant par exemple les dressoirs d'Androuet du Cerceau, typique de l'Ile-de-France, en remplaçant les colonnes par des figures de faunes et faunesses. On ne voit pas de colonnes sur les meubles lyonnais.

« Les fréquentes figures servant d'éléments porteurs dans les deux-corps lyonnais » ressemblent à un dessin illustrant son livre, un faune « à jambes de bouc portant sur la tête une corbeille de fleurs et fruits en guise de chapiteau » (B. Deloche).

Ces figures portantes à corps d'homme ou de femme sont également inspirées par un autre ouvrage presque contemporain qui a joué lui aussi un grand rôle dans le mobilier : *L'Œuvre de la Diversité des Termes* édité par Durant à Lyon en 1572. Son auteur est Hugues Sambin (1518-1601), sculpteur et ornemaniste, né à Gray, mort à Dijon, inspirateur de célèbres meubles bourguignons.

Les termes sont des bornes sculptées à leur partie supérieure en forme de tronc humain, avec la tête et souvent les bras. Honoré par les agriculteurs, Terme était un dieu latin identifié avec les limites des champs. Aussi, d'abord simple bloc de pierre, il a été plus tard surmonté d'une tête, avec quelquefois les bras mais jamais les jambes.

Peu utilisé dans l'architecture antique, il a été adopté cependant par le mobilier français de la Renaissance, en Bourgogne et à Lyon. Il est plus raide chez les Bourguignons ; plus souple, plus réaliste chez les Lyonnais.

Philibert de l'Orme en a fait souvent des cariatides, c'est-à-dire des soutiens de corniche comme sur certains monuments grecs. Mais chez les Grecs, les cariatides étaient de jeunes femmes en pied, jamais des termes.

Cet aspect fantasque ne doit pas cependant faire illusion. Les meubles inspirés par Philibert de l'Orme sont d'une structure rigoureuse. Ces deux-corps sont parfaitement équilibrés par rapport à une horizontale qui les partage par le milieu, ce que l'on ne retrouve ni en Bourgogne, ni en Provence, provinces aux mobiliers assez proches de celui de Lyon.

En dehors des termes, ils répondent parfaitement aux impératifs vitruviens. Entre autres, le corps du bas respecte les proportions de l'ordre dorique, celui du haut, de l'ordre ionique (avec ses chapiteaux à volutes).

Les figures sont ordonnées selon les canons classiques. Les « faiseurs de meubles » lyonnais ont su apprécier les exigences du mathématicien qu'était Philibert de l'Orme comme le montre le succès qu'ils ont accordé à son ouvrage réédité dès l'année suivante (1568).

Les panneaux des portes sur cette crédence sont ornés, de la façon la plus lyonnaise, d'une « vermiculure », arabesques fines complexes, très denses, autour d'un masque grotesque du théâtre italien, la *Commedia dell'Arte*. Cette vermiculure englobe un rameau à feuilles tréflées. A droite, les fameux termes en gaine, lancés par Hugues Sambin, illustre Dijonnais ; mais à Lyon ces termes sont particulièrement exacts anatomiquement, d'une grâce courbe et ronde, douce et cossue.
Entre les deux, incrustation à la florentine. A la corniche, rectangles incrustés entre les rosaces sculptées. Masque de lion en bas.

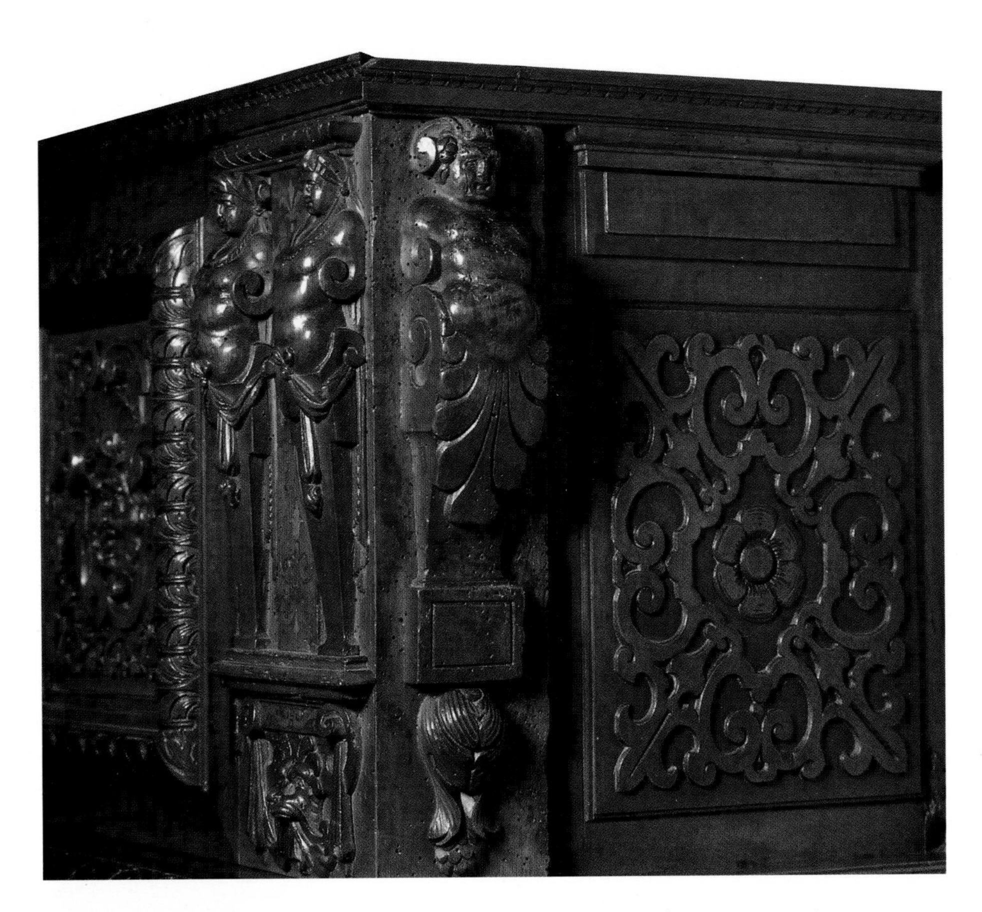

Les panneaux de côtés eux-mêmes, grand raffinement, sont décorés d'une vermiculure nerveuse, très élégante. Cet angle de prise de vue permet de constater la belle rondeur de la sculpture lyonnaise.

L'esprit mathématique de l'auteur et son respect des normes antiques ont été remarquablement suivis et assimilés par les huchiers et les ornemanistes de sa ville natale, note Jacqueline Boccador dans son étude sur le *Mobilier de la Renaissance*. Aussi l'harmonie architecturale, poursuit-elle, apparaît comme une caractéristique du mobilier lyonnais, même si elle n'atteint celle, plus subtile, du mobilier d'Ile-de-France. La production des ateliers lyonnais apparaît à la fois importante et de grande qualité.

Mais si la structure doit beaucoup à l'architecture, le décor dépend des graveurs et des illustrateurs. Tel est le paradoxe si particulier à Lyon, révélé par Bernard Deloche, professeur de philosophie de l'art à l'université Jean Moulin (Lyon III). Sur des meubles aux beaux volumes, l'ornement se développe en surface sous forme de panneaux aux sculptures plates très fouillées mais relevant de l'art graphique si en faveur à Lyon.

A partir de 1547, les maîtres graveurs Bernard Salomon, dit le Petit Bernard, Pierre Eskrich dit Pierre Cruche (traduction de son patronyme germanique), illustrent de nombreux ouvrages, dont les *Métamorphoses* d'Ovide (1557) et fournissent ainsi des modèles à succès pour les faïences aussi bien que pour les meubles.

Apparaissent ainsi deux motifs très caractéristiques du mobilier lyonnais : les vermiculures et les cuirs enroulés.

Les vermiculures sont des arabesques serrées qui, parfois, s'entrelacent à des rameaux feuillagés. Ce sont des gravures en léger relief par évidement des fonds qui forment des arabesques symétriques tout en donnant un effet fantastique. D'origine occidentale, elles ont transité en Europe par Byzance et Venise où elles ont inspiré les premiers imprimeurs et graveurs sur bois, notamment allemands, nombreux dans la cité de la lagune au XVe siècle. La vermiculure est le décor lyonnais le plus original et le plus typique. Sur les buffets Renaissance, elle couvre les panneaux de porte et parfois des côtés.

Le cuir enroulé apparaît comme une sculpture, toujours en faible relief, figurant des bandes semblant en cuir découpé, elles aussi, qui s'enroulent en arabesques, mais plus larges que les vermiculures.

Ces vermiculures et ces cuirs enroulés se déploient autour de mascarons, têtes en méplats – sans grand relief – souvent grotesques, grimaçantes, inspirées par les masques de la Commedia dell'Arte, le théâtre italien. D'autres, plus sereines, dérivent de la sculpture antique.

Par leur jeu de traits sans profondeur, les vermiculures, les arabesques, les cuirs enroulés, les mascarons de pierrots méplats, suggèrent l'étalement de la surface.

Il existe un décor encore plus plat : l'incrustation de filets en bois clair, sorte de marqueterie très fine, soit en lignes droites, soit en petits pavés noirs ou jaunes, soit en rinceaux. Mais il y a mieux encore : des meubles luxueux sont ornés de figures humaines, dieux ou déesses antiques, personnifications des vertus ou des saisons, aux corps d'un dessin ferme et original. Ces scènes historiées doivent beaucoup aux livres des pays germaniques, notamment le magnifique *Traité des Proportions* de Dürer, connu à Lyon dès 1557.

Ces meubles reflètent l'étrangeté de Lyon, confluent de deux fleuves très différents, Saône tranquille et Rhône fougueux, mais aussi de deux civilisations opposées. L'une venue du sud, l'italienne, la seconde, descendue du nord, l'allemande, qui ici s'entendent, s'intègrent, se synthétisent par la grâce intelligente du génie français.

La Renaissance a été un âge d'or pour le mobilier lyonnais. Si le Louvre s'est permis de présenter des meubles provinciaux, il les a choisis à Lyon, tous remontant à cette période glorieuse : cabinet, buffet avec fronton (rare à Lyon), caquetoire – chaise – à piétement en jarret de faune, chaise à bras (fauteuil) et table de milieu sculptée de chimères superbes. Le musée de Cluny, rebaptisé musée de la Vie médiévale, montre deux coffres, un très beau dressoir proche de celui illustré ici p. 11 et un fauteuil caquetoire datant de 1575 où déjà apparaît le tournage des pieds.

Le musée des Arts décoratifs à Paris conserve un coffre, une table à l'italienne à trois balustres et un superbe deux-corps.

Largement orné de figures humaines superbement sculptées, dans le style de Lyon, un deux-corps diminutif caractéristique de cette ville, également par sa structure et par le cadre décoratif de rinceaux, termes et mascarons. Les panneaux représentent les quatre Saisons : Hiver et Printemps en haut, Automne et Été en bas.

Deux-corps lyonnais à quatre portes en noyer d'une qualité exceptionnelle. Très représentatif, il montre une silhouette structurée, basée sur des rectangles s'emboîtant et se juxtaposant avec rigueur et symétrie. Le décor ne déborde pratiquement pas du cadre. Il comprend un aspect particulièrement lyonnais : les vermiculures, arabesques plates, en faible relief, aux panneaux de portes. Typiques également, les moulurations profondes, autour des panneaux et sur la partie médiane.
Une ligne droite, juste à mi-hauteur, entre deux moulures horizontales, sépare le meuble en deux parties égales, trait tout à fait dans l'esprit lyonnais.
147 x 58 cm. H : 176 cm.
1570-1590. Bresset.

Raffiné, ce meuble comporte entre les portes des cache-serrures. Le feuillage central glisse dans deux rainures, remontant pour laisser place à la clé et reprenant ensuite sa place pour dissimuler l'entrée de serrure. Bresset.

Pour soutenir la corniche, deux termes en gaine aux formes féminines bien rondes, spécificité lyonnaise, qui distinguent ces meubles, de leurs comparses bourguignons, où les termes sont plus longs et anguleux. Bresset.

En noyer blond, un deux-corps diminutif – avec corps supérieur en retrait – joue à plein dans le registre décoratif des vermiculures, entourant de très beaux mascarons féminins aux expressions sereines. Décor sculpté d'une rare qualité, les reliefs des rinceaux ne sont pas plats. Ils ont tous été délicatement recreusés. Noyer blond. 1570-1590. 114 x 48 cm. H : 174 cm. Bresset.

19

Des aigles éployés, parfois à deux têtes, ornent souvent les frontons des quatre-portes de la région lyonnaise, comportant toujours des colonnes tournées de part et d'autre des portes. Ostellerie du Vieux Pérouges.

Aigles à deux têtes et colonnes torses

CETTE MAGNIFICENCE LYONNAISE n'a pas résisté aux troubles qui ont suivi l'assassinat d'Henri IV (1610). Comme dans le reste de la France, le mobilier devient austère, sévère, voire pauvre. L'imagination n'est plus au pouvoir.

Les meubles du Lyonnais gardent leur structure massive, quadrangulaire mais l'ornementation disparaît. Celle-ci propose cependant quelques traits significatifs : les colonnes torses appliquées et, au fronton, des aigles aux ailes éployées.

L'aigle vient de Rome qui avait fait de ce puissant volatile l'enseigne de ses légions victorieuses. Il est repris par les empereurs germaniques qui tentent de s'imposer comme héritiers de l'Empire romain. Avant d'être française, Lyon dépendait de cet empire qui, au Moyen Age, a même essayé de réunir deux grands pouvoirs : le pouvoir religieux détenu par l'évêque de Rome, le pape, et le pouvoir politique que les empereurs germaniques tentent d'imposer à l'Europe. Ainsi naît le célèbre aigle à deux têtes, revendiqué encore début XXe (jusqu'en 1916) par l'Autriche.

L'aigle à deux têtes qui curieusement s'affiche sur des meubles du Lyonnais au XVIIe siècle rappelle cette lointaine aura italo-allemande qui les nimbe d'un halo mi-historique, mi-légendaire. Au lieu d'aigle, on voit parfois des têtes d'angelots, en réalité têtes de petits Eros, dieu gréco-latin de l'Amour.

La pointe de diamant, si répandue en France au XVIIe siècle et qui règne avec force dans la Bourgogne voisine, n'intéresse pas le mobilier lyonnais peu attiré par le décor en relief. Si elle se manifeste, elle est tronquée, presque plate.

Par contre, le tournage en balustre des piétements typique de l'époque Louis XIII y présente une particularité qui correspond bien au goût lyonnais pour l'opulence et les grandes dimensions : le fort écartement entre les divers éléments qui se superposent et le profil très ferme de l'ensemble.

Rare variation sur le thème du bahut lyonnais à colonnes torses : corps supérieur à une seule porte. Celle-ci est ornée de moulures et de rosaces. Belles toupies au-dessus de la corniche.
Ostellerie du Vieux Pérouges.

Rocaille et cubisme

DANS LES DERNIÈRES ANNÉES du XVIIe siècle, un réveil artistique se dessine. Le meuble se libère de l'architecture. Sous la pression des grands menuisiers-ébénistes de Louis XIV, Jean Berain et André Charles Boulle, les meubles abandonnent les contraintes héritées d'un style où la matière pesante impose ses lois. Le décor d'arabesques, vermiculures, cuirs découpés ne se limite plus à ornementer, il se projette dans l'espace, acquiert la troisième dimension pour devenir le contour même des meubles et objets : c'est le style rocaille.

Sinueux, asymétrique, il prend pour modèle les profils déchiquetés, hasardeux, des rocs naturels. Le mot vient du goût pour des grottes qu'on construit dans les jardins italiens, incluant dans leur architecture paysagiste des éléments évoquant les accidents de terrain. Le style rocaille emprunte ses caractéristiques à la géologie mais aussi à la botanique. La remise en cause de la symétrie s'inspire du désordre de la nature.

Après la solennité du Grand Siècle et le faste discipliné de la Cour de Louis XIV, le rocaille chante la liberté ! Lyon s'en inspire sans réserve pour de célèbres sièges. Par contre pour ses grands meubles, elle l'adapte à ses concepts de grandes silhouettes quadrangulaires et cubiques héritées du XVIe siècle et ne l'utilise qu'en décor appliqué, sur des volumes restés sages. Lyon joue en virtuose de la coquille, chère à Meissonnier, qu'elle broche en relief prononcé, parfois tout à fait enlevé, sur ses armoires et ses buffets.

Juste-Aurèle Meissonnier, fils de Stefano Meissonnier, orfèvre d'origine provençale installé en Italie, naît à Turin en 1695. Il est lié avec l'architecte Filippo Juvara (1685-1736), lui aussi formé dans la tradition de l'orfèvrerie, où la matière se plie souplement à toutes les sinuosités. Entre 1714 et 1735, Juvara dirige les travaux à la cour piémontaise, tandis que Meissonnier travaille à Paris jusqu'à sa mort en 1756. Louis XV le nomme dessinateur du cabinet et orfèvre du roi (1726). Il publie en 1734 la bible des ébénistes, menuisiers et décorateurs au XVIIIe siècle, le *Livre d'Ornements.*

Les meubles lyonnais n'ont été atteints que superficiellement par la rocaille, ce qui les distingue par exemple des meubles de Provence. En Provence, le dynamisme envahit l'ameublement, d'où une profusion de galbes et de sculptures. Il modèle tout depuis l'armoire jusqu'à la boîte à farine.

Au contraire, les grands meubles de Lyon, armoires, buffets, commodes, gardent leur traditionnelle structure massive et rigide qui, au XVIIIe siècle, encadre un luxuriant décor rocaille. La statique y domine. Elle détermine les lignes principales. Pourtant la ligne dynamique du nouveau style n'est pas exclue : en fait, elle apparaît d'autant plus animée qu'elle se trouve fortement contenue par la structure générale.

Ainsi « les grands meubles lyonnais du XVIIIe sont arrachés à la monotonie ennuyeuse des objets de grandes dimensions à lignes rigides par le

contrepoint de la sculpture ornementale » (Bernard Deloche).

S'ils perpétuent l'allure générale du XVIe, ils s'éloignent un peu plus de l'architecture. Tout l'appareil du XVIe évoquant les édifices antiques, termes, pilastres, entablement, a disparu. Mais on retrouve de strictes proportions. La hauteur et la largeur des armoires correspondent à peu près au nombre d'or des temples grecs. Les buffets et les commodes obéissent aussi à ce principe mais de manière un peu moins nette.

Les menuisiers lyonnais restent fidèles à une tradition remontant à la Renaissance, donc à l'Antiquité classique, qui les pousse à soumettre les mesures d'un meuble à un jeu savant de proportions lointainement inspirées de l'architecture. Attitude qui ne les empêche pas de mettre leurs décors au goût du jour, diffusé depuis Paris.

Cet attachement à la construction des édifices continue à leur inspirer de grandes dimensions, correspondant d'ailleurs aux vastes pièces des demeures lyonnaises. Les armoires atteignent 9 pieds de haut, soit 2,85 m, tandis que les modèles parisiens, selon les canons de Roubo, n'arrivent qu'à 8 pieds pour les plus grandes (2,50 m). Les buffets atteignent jusqu'à 1,80 m de long et les commodes 1,50 m, ce qui est considérable.

En effet, le mobilier lyonnais exprime ses caractéristiques par ces trois pièces, variations à partir du volume orthoédrique le plus simple, c'est-à-dire le parallélépipède régulier, fait de rectangles placés à angle droit.

Quatre-portes lyonnais à corps supérieur en retrait. Ostellerie du Vieux Pérouges.

Sur piétement de même type, à balustres tournés, un pétrin typique du Lyonnais en auge trapézoïdale. En noyer sculpté ; panneaux en loupe d'orme. Ostellerie du Vieux Pérouges.

Sur piétement Louis XIII à balustres tournés, un banc blasonné au dossier et avec accoudoirs pleins aux contours chantournés avec « nez » en volutes serrées. Noyer. Ostellerie du Vieux Pérouges.

Dans un coin de salon, trône un buffet Louis XIV originaire de la Dombes. Dallage d'origine pour cette ancienne demeure milieu XVIIIe.

Coquilles brochées sur moulures

Très typée, l'armoire lyonnaise se fait remarquer avant tout par un élément courbe : sa corniche, en anse de panier ou en chapeau de gendarme. Mieux, elle se risque à compliquer ce cintrage par des ressauts, deux et même trois. Le triple ressaut est unique en France.

La corniche à double cintre se retrouve curieusement à Rennes. Des modèles rennais reproduisent presque exactement une armoire lombarde, ancêtre vraisemblablement de tous ces meubles à double cintre qui se sont largement répandus en Hollande puis en Angleterre.

La corniche à triple ressaut reste une exclusivité lyonnaise, coup d'œil de « poids » aux lignes rocaille.

Sinon, l'armoire de Lyon respecte le volume à angles droits. La longueur et la hauteur observent un rapport de dimensions fondé sur la diagonale du carré. Elle repose sur un piétement semblable à celui de la Bourgogne : corniche rectiligne inversée portée sur des pieds miches ou raves.

Mais elle présente un aspect très typé : ses moulures. Celles-ci ressortent du décor mais, pour une part, dépendent de l'architecture du meuble. Une moulure épaisse dessine avec une telle vigueur le contour des portes, qu'on la surnomme grand cadre. Elle est à la fois large et profonde. A l'intérieur, chaque vantail montre trois panneaux cernés par une moulure plus souple, spécialement autour du petit panneau central, très typique, très chantourné.

Les verticales et la traverse inférieure sont droites. La traverse supérieure se courbe en forme de portique.

Ce cadre est rehaussé d'un décor rocaille, plus restreint qu'à la Renaissance, mais qui le rappelle par son aspect, dû à de petites surfaces sculptées en bas relief.

Au sommet s'épanouissent d'étourdissantes coquilles ou autres motifs fantastiques dans le goût de l'époque aussi bien au haut des portes qu'au fronton.

L'armoire lyonnaise témoigne d'une combinaison harmonieuse entre bas-reliefs et hauts-reliefs. Le sculpteur supplante l'ébéniste.

Bien que Lyon suive la mode de Paris, elle n'a jamais abrité d'ébénistes versés dans les techniques de placage qui ont donné à la France un mobilier inégalé au XVIIIe siècle. Le mobilier lyonnais ne relève que des techniques de la menuiserie. Mais il n'existe ici aucun Hache ni Couleru, ces célèbres marqueteurs de Grenoble et de Montbéliard. Cependant, il faut le relever avec précision, le mobilier lyonnais n'a rien de rustique. Il a influencé les mobiliers des campagnes environnantes mais il ne s'adresse qu'à de riches bourgeois, banquiers, soyeux, grands commerçants, la noblesse dans cette grande ville n'existant pratiquement pas sous l'Ancien Régime.

Le meuble lyonnais s'inscrit dans une structure rigide lourdement implantée au sol. S'appuyant au bas d'une corniche formant soubassement, rappelant l'ameublement Louis XIII, les armoires n'impliquent pas un détachement du sol. Pourtant quelques-unes possèdent des pieds cambrés et une traverse chantournée.

L'ornementation sculptée s'inspire des modèles importés de la capitale. Les rinceaux, expression contemporaine des arabesques, sont influencés par les réalisations de Jean Bérain (1639-1711), dessinateur de la chambre du roi, dont les décorations marquent la transition entre le Louis XIV et le Régence. Les coquilles, plus nouvelles, ont suivi de près, bientôt accompagnées de la sculpture en dentelle mise au point par les ornemanistes parisiens. Mais les rameaux de laurier si fréquents, notamment au fronton, sont lyonnais ; et ils étaient déjà suggérés dans les buffets Renaissance. Cependant Lyon est moins à la remorque de Paris que ces explications laissent croire.

D'abord, les motifs parisiens sont employés d'une manière originale, tout en éclatement et en vigueur dynamique. Lyon a subi l'influence de son grand sculpteur Michel Perrache (1686-1750) qui a maîtrisé la rocaille avec une rare habileté. Rappelons que les œuvres de cet artiste se dispersent entre différentes églises de la ville : à Saint-Nizier, le maître-autel et une chapelle ; le chœur à la chapelle des Pénitents de Lorette ; une Assomption et un bas-relief à la chapelle des Pénitents de Gonfalon, plus un bas-relief à Mâcon, dans l'église Saint-Pierre.

Cette ornementation sculptée, comme au XVIe siècle, n'anime que la surface ; en aucune façon, elle ne modèle le volume. De nouveau, se manifeste ainsi l'originalité lyonnaise. Les courbes nouvelles ne galbent guère les meubles, ni les armoires, ni les buffets à pierre, autre expression typique de l'art de cette ville.

L'entrée de serrure présente une section triangulaire très caractéristique qui donne à la clé un trait particulier à la région lyonnaise.

L'armoire lyonnaise garde l'aspect rectiligne et quadrangulaire des deux-corps et des quatre-portes des XVIe et XVIIe siècles. Sous l'influence des nouveaux styles parisiens de la Régence et de Louis XV qui prônent les courbes, la corniche se cintre et l'ornementation obéit au répertoire rocaille. En particulier, le fronton porte une majestueuse coquille.
Dans un cadre strict, marqué par une forte mouluration, les portes s'animent de moulures chantournées les divisant en trois panneaux. Des sculptures plates, évoquant les vermiculures de la Renaissance, se placent entre les moulures des panneaux. Ici, le fronton est décoré de branches de laurier fréquentes dans le Lyonnais. Piétement traditionnel dit en miches sous une corniche droite. Noyer. Gros.

Exemple très intéressant de coquilles lyonnaises au sommet d'une armoire. Il se compose de deux motifs opposés, celui du haut s'épanouissant de façon symétrique ; celui du bas, de façon asymétrique, décalé et inversé (s'élargissant vers le bas), légèrement à gauche de l'axe vertical médian. Il se prolonge en un petit élément rocaille feuillagé, lui aussi asymétrique, entre les portes. Ravissantes coquilles bien symétriques au haut des vantaux.

Sur l'armoire lyonnaise, le milieu de chaque porte est occupé par un panneau chantourné de ce type aux moulures savantes, complétées de bas-reliefs rocaille. Sur le montant, motif proche de celui situé entre les deux portes. Typique, les gonds à têtes plates. En beau noyer ramageux.

Au fronton, un lion passant sous une corniche mouvementée. Des acanthes et des feuillages ornent cette armoire célèbre du Musée historique de Lyon.

Ici, c'est un étrange griffon qui « passe » sur le fronton d'une armoire de Lyon, tout ornée d'une débauche de coquilles asymétriques. Pierre Richard.

Autre modèle d'armoire lyonnaise avec coquilles asymétriques au haut des portes. Fin décor aux montants et entre les moulures. Corniche en anse de panier. Piètement dit à corniche renversée sur pieds miches. Entrée de serrure en triangle.

Ici, l'armoire à triple ressaut repose sur un piètement moins typique, à pieds cambrés et à traverse chantournée et non plus rectiligne. Les gonds et l'entrée de serrure n'ont pas non plus les caractéristiques traditionnelles. Mais pour le reste, ce meuble majestueux relève bien de la panoplie lyonnaise.
Musée des Hospices civils à Lyon.

La corniche lyonnaise ne se contente pas toujours d'un simple cintrage. La voici à double ressaut, à l'image des armoires lombardes, que l'on retrouve curieusement à Rennes. Décor de coquilles « rocaille » d'un type encore différent. Hauteur traditionnelle : 280 cm. Marie-Jo Perrin et Pierre Bourgeois.

Escargots de la Préhistoire

LES CÉLÈBRES BUFFETS À PIERRE LYONNAIS ont un précédent. Paris et l'Ile-de-France sont célèbres pour les buffets dits de chasse, à dessus en marbre, meubles sobres, en chêne mouluré, apparus vers 1720. Les buffets de Lyon sont plus ornementés et se couvrent de plateaux découpés dans les carrières voisines, dans les Monts d'Or aux roches calcaires incluant des coquilles fossilisées vieilles de millions d'années ressemblant à celles d'escargots, en plus beau. Les carrières de Saint-Cyr et de Saint-Fortunat fournissent une pierre grise. La pierre rose vient de Curis.

Exceptionnellement lourds, avec ces plateaux pesant entre 120 et 200 kg, les buffets à pierre confirment la vocation statique du meuble lyonnais, malaisé à bouger, faisant pratiquement partie de l'architecture de la pièce où il se trouve. Ils sont tous moulurés à bec de corbin surmontant un cavet (ressaut au-dessus d'un creux).

Le buffet à pierre lyonnais s'apparente à l'armoire de sa ville par son double encadrement de moulures.

A l'extérieur, la première mouluration, épaisse et en haut relief, plutôt rectiligne, cerne le décor. A l'intérieur, une seconde, plus douce (en doucine, rebord à profil courbe et plus souple), laisse place à des réserves ornées de sculptures.

Celles-ci, en haut relief, aux angles et surtout au haut du dormant (entre les portes), revêtent un caractère accusé donnant sa personnalité à chaque buffet.

D'autres sculptures, en bas relief, illustrent les montants, en haut d'une rocaille ou au milieu d'un thème parfois très raffiné, comme des têtes féminines dites à la Fontanges. Elles remplissent également les écoinçons – angles des portes – de rinceaux et de rameaux d'olivier ou de laurier.

On retrouve, en format réduit, les mêmes contrastes que sur les armoires, avec deux types de moulures, l'une grasse, l'autre plus légère, et deux types de sculptures, l'une en haut relief, l'autre plus plate. Mais on discerne des correspondances entre tous ces modes qui montrent avec quel sens esthétique les menuisiers lyonnais construisent et ornent leurs meubles. Bien entendu, ce contraste repose sur l'opposition entre le majestueux volume quadrangulaire du bâti et le charme de l'ornementation en surface.

Jusque vers 1750, le buffet à pierre repose sur une plinthe. Il adopte ensuite les pieds cambrés de part et d'autre d'une traverse chantournée. Dans les campagnes, on note des buffets à pierre beaujolais, moins décorés, et dans le Forez, des bas de buffet à plateaux de bois, assez riches, appelés commodes, apportés en dot par les jeunes mariées. Les buffets à pierre, placés dans les salles à manger, servaient de tables à découper le gibier.

Sculpté, sur le montant d'un buffet à pierre, un profil de femme très lyonnais par ses douces rondeurs. Musée des Arts décoratifs à Lyon.

Coiffé d'une pierre de Saint-Cyr à inclusions de fossiles, un buffet lyonnais d'un classicisme parfait. Ghislaine David.

Ce strict buffet à pierre se permet de creuser une surface plane d'une profonde dépression médiane qui offre un effet sculptural rare, à deux niveaux, entre une rocaille surélevée sur la porte et une autre sur le dormant. Très beaux motifs également en haut des portes et sur les montants complétant un superbe jeu de moulures. Jean Rey.

Discret buffet à pierre aux moulurations d'un original mouvement chantourné, très enlevé, aux portes et à la traverse inférieure. Long feuillage d'un rythme dynamique sur les montants. Toutes sculptures de grande qualité. Galerie Michel Descours.

La commode lyonnaise reproduit le thème décoratif des armoires : division en trois panneaux cernés de moulures, encadrés de motifs rocaille sculptés en bas relief sur la façade de chacun des trois tiroirs. De même, le petit panneau central, lui aussi autour de l'entrée de serrure, se singularise. Pieds cambrés de type lyonnais : avec arête saillante. La façade est légèrement bombée. Les sculptures des tiroirs sont toutes différentes. Jean Bouvier.

Jolies mains de bronze

Le palais Pitti, à Florence, contient une commode datant de 1550. En Savoie, on trouve des commodes Louis XIII. La Provence a inventé la commode à arbalète, c'est-à-dire à façade à double ressaut. Le Dauphiné connaît des commodes à façade « plissée », à plusieurs ressauts. Officiellement, ce meuble naît à Paris en 1695.

Les premières commodes rappellent leur origine : le cabinet, meuble à succès au XVIIe, caisson à nombreux petits tiroirs derrière deux portes, et placé sur un haut piétement. La commode est un caisson posé presque à terre, sur des pieds courts, offrant trois grands tiroirs. Son nom vient de ce qu'elle se révèle si pratique qu'elle connaît un succès rapide et important. Inexistante en milieu rural, elle investit différentes villes françaises. De toutes les commodes régionales, la plus connue est celle de Bordeaux, caractérisée par son aspect ventru.

Cette forme est tardive. Les premières commodes sont plutôt cubiques (ou exactement orthoédriques, parallélépipèdes rectangles) à montants et côtés droits, silhouette qui correspond bien au goût de Lyon, où apparaît sous cette allure le premier type de la commode lyonnaise, la plus caractéristique. De plan rectangulaire, elle possède une façade légèrement bombée. Comme les armoires, elle a des dimensions supérieures aux commodes parisiennes (1,28 m) : 1,33 m de large sur 0,63 m de profondeur. Elle est entièrement en noyer, y compris le plateau, qui n'est jamais en marbre ni en « pierre ». Elle présente déjà un décor propre à toutes les commodes lyonnaises : des moulures divisent la façade des tiroirs en trois, à l'image des portes d'armoires, avec panneau central plus petit. Un motif sculpté orne chaque extrémité et assez souvent encadre l'entrée de serrure.

La commode lyonnaise connaît aussi la façade en arbalète et même la façade plissée. Enfin, plus rarement, elle sort de ses limites et de son plan rectangulaire pour s'offrir un plan bombé, dit aussi chantourné, avec façade et profil ventrus, moins cependant que la bordelaise. Selon certaine acception, elle est dite tombeau, quoique d'autres spécialistes se servent de cette appellation pour toute commode à trois ou quatre tiroirs et pieds courts.

Un piétement très lyonnais consiste en pieds assez forts légèrement cambrés, marqués par une arête saillante.

A Lyon, comme en Dauphiné et en Vallée du Rhône, la commode en arbalète comporte souvent plusieurs ressauts. En voici une plissée en cinq vagues. Sculptures uniquement aux extrémités des trois tiroirs et sur les montants.
Musée historique de Lyon.

En arbalète, curieuse commode lyonnaise au décor très couvrant. Ses « mains » pendantes sont des poignées tout à fait caractéristiques du style lyonnais. Sylvianne Dolfus.

Echappant à la silhouette rectiligne des meubles lyonnais, la commode est parfois ventrue, dite en « tombeau ». Elle conserve ses façades de tiroir à trois panneaux, ici uniquement moulurés. Pieds de biche trapus, à arête saillante, typiques de Lyon. Côtés à panneaux. Musée historique de Lyon.

Comme la corniche des armoires, simplement cintrée ou bien à deux ou trois ressauts, la façade de la commode lyonnaise, au lieu d'être bombée au centre, peut être bombée « à deux ressauts » de part et d'autre d'une dépression centrale.
La façade est dite alors en arbalète.
Sur ce modèle, le mouvement en façade, très subtil, forme une légère dépression sur les côtés, avec avancée de part et d'autre d'un centre, très peu bombé, entre deux étroits retraits. D'où l'intérêt de cette commode, qui « fait la vague plus que l'arbalète ».
Autre particularité : au-dessus des deux tiroirs inférieurs, il n'en existe pas un grand comme à l'accoutumée, mais trois petits, dont, au centre, un secret. Pieds typiques. Très beau motif sculpté sur chaque montant.
Pascal Guillemin.

Très belle commode tombeau tout à fait lyonnaise, ne serait-ce que par la rigueur de ses proportions, le dynamisme des sculptures et la grâce de son opulence. Tout cela indique un meuble incontestablement citadin. Qualités qui semblent résumées par les pieds escargots si particuliers. Les pieds arrière sont également à volutes.
Rare plateau d'une seule pièce ; en général, il faut deux ais, ce qui indique la valeur du noyer qui a servi à l'exécution de cette superbe pièce.
Bronzes d'origine.
Détail subtil : l'asymétrie des motifs sculptés sur les tiroirs. A gauche, rameau ascendant. A droite, même rameau mais descendant. Cette commode est plus large que d'ordinaire : 156 cm au lieu de 130-140 cm. Profondeur : 68 cm. H : 98 cm.
Thierry Morin.

La volupté du coup de fouet

S I LES LYONNAIS ont soustrait leurs grands meubles aux courbes Louis XV, ils se sont rattrapés à merveille avec leurs chaises, fauteuils, canapés et autres.

Aussi, les sièges de Lyon sont, à juste titre, célèbres. Ne combinent-ils pas, en effet, l'élégance parisienne et la virtuosité italienne ? 67 % d'entre eux ont pour auteur le fameux Pierre Nogaret (1718-1771), Parisien formé, semble-t-il, chez d'excellents menuisiers de la capitale, Cresson et Tillard. Mais il s'installe à Lyon où il se marie en 1744 et où il y est reçu maître en 1745. C'est lui qui a inventé une console d'accotoir ou célèbre « coup de fouet », dessinant la superbe ligne reliant le bras du fauteuil au siège. Nogaret qui révèle ainsi un sens aigu de la ligne rocaille a donné à Lyon des meubles magnifiques et au siège Louis XV, sa plus pure physionomie.

Ses sinuosités, d'un dessin ferme, laissent transparaître des influences italiennes, manifestées également par des dossiers aux épaules bien marquées. Elles rappellent les modèles fabriqués alors en Piémont et en Vénétie. Mais les sièges lyonnais montrent un équilibre plus rigoureux.

Selon B. Deloche, ils ont « inventé une manière propre d'animer la matière. Les menuisiers lyonnais ont su, avec une habileté exceptionnelle, traiter les attaches entre les différents éléments du siège ». Cela se voit certes à la console de l'accotoir mais encore à la façon dont celle-ci rejoint la ceinture sous le siège. Les Lyonnais ont fait là preuve à la fois d'une virtuosité peu commune et d'une imagination rare.

Deux points rapprochent les sièges des gros meubles : une généreuse opulence et les moulurations bien marquées, à gorge large. Les accoudoirs bien écartés, le siège large les rendent accueillants. Les assises basses, les piétements bien campés ajoutent à leur aspect rassurant.

A Lyon, Nogaret n'œuvre pas seul. Son beau-frère François Canot, son condisciple Claude Levet, puis François Lapierre, Sébastien Carpantier et les Parmantier, Nicolas le père et Antoine le fils, comptent parmi les meilleurs menuisiers lyonnais en sièges.

Le Louis XV s'achemine vers le Louis XVI. Les lignes tendent à s'assagir, apparaissent moins sinueuses. Le dos d'âne a disparu. L'épaulement, moins marqué, devient tombant.
Le motif au sommet fait saillie et les fleurs sont remplacées par le gros nœud Louis XVI caractéristique des sièges lyonnais à cette époque.
Fauteuil cabriolet attribué à François Geny (1731-1804), reçu maître en 1773.
Pierre Richard.

Fauteuils à la Reine (dossier plat) de Nogaret.
Galerie Michel Descours.

Les trois derniers ont laissé des modèles Louis XVI dont on ne connaît aucun modèle par Nogaret. Si les sièges lyonnais Louis XV sont généralement remarquables, il n'en est pas de même pour ceux de l'époque Louis XVI. Le décor, à grosses roses ou à gros nœud, s'intègre moins à la silhouette que les petites fleurs ou les grenades éclatées des précédents.

C'est le Parisien Jean-Baptiste Tillard qui a imaginé la grenade éclatée, à rapprocher de la cartouche dissymétrique, motifs que Nogaret utilise avec talent.

Les meubles légers, à Lyon – petites tables, poudreuses, travailleuses, écrans de feu – se parent de la même grâce Louis XV à la Nogaret.

De cet illustre menuisier, le Louvre s'honore de conserver des chaises et fauteuils que l'on voit dans de nombreux autres musées aussi bien à Paris qu'à Lyon.

Console d'accoudoir en « coup de fouet ». Musée des Arts décoratifs de Lyon.

Duchesse (chaise longue à oreilles) estampillée Nogaret, typique avec ses « coups de fouet », ses moulures à large gorge rompues de fleurettes sculptées. 205 x 90 cm. H : 208 cm. Galerie Michel Descours.

Grâce à ses célèbres sièges, Lyon rompt avec le schéma rigide et quadrangulaire de ses meubles contenants, et s'exprime avec la plus belle des lignes Louis XV, mise au point par l'ébéniste Pierre Nogaret, en particulier, celle de la console d'accoudoir, si nerveuse et dynamique qu'elle a été baptisée « en coup de fouet ». Le siège lyonnais se caractérise aussi par ses qualités de confort et… d'accueil ! Les accoudoirs sont largement écartés, plus que dans un siège traditionnel de même style. Et l'assise est basse. Typiques, les petites fleurs au sommet du dossier, à la ceinture et aux montants. Chaise et cabriolet estampillés Nogaret. Musée des Arts décoratifs à Lyon.

Canapé corbeille douillettement enveloppant, à la sculpture à la fois opulente et délicate. Nogaret. Ghislaine David.

Fauteuil en cabriolet (dos cintré) où le dos d'âne (dessin du haut du dossier) et l'épaulement (arrondi entre le haut et les côtés) sont bien marqués. Il fait partie d'un ensemble de quatre dont chacun porte au sommet un petit bouquet de fleurs différent. Estampille Nogaret. Pascal Mouffet.

Ornée d'une coquille caractéristique, une table cabaret lyonnaise, à la belle cambrure de pieds. Son plateau à rebord, pour retenir les tasses et les verres, n'est pas, comme à Bordeaux, creusé dans l'épaisseur du bois (acajou) mais est composé de quatre bandes concaves rapportées (noyer). Typiques, les arêtes des pieds bien marquées, dites saillantes, se retrouvent sur de nombreux meubles lyonnais. Superbe parquet récupéré dans un couvent de Fourvières, orné, en son centre, d'une géante rose des vents.

Rares bergères de Nogaret.
Manoir de Beauvais.

Ecran de feu
estampillé Nogaret.
Ghislaine David.

D'époque Transition (entre Louis XV et Louis XVI), ce canapé corbeille porte encore des consoles d'accoudoirs en coup de fouet mais présente une silhouette plus calme qu'un canapé Louis XV. Le motif au haut du dossier apparaît en forte saillie. Il consiste en un motif très lyonnais fin XVIIIe : deux grosses roses très rondes. René Pierre Millet.

Paire de fauteuils cannés estampillés Nogaret, l'un de dos, au premier plan, l'autre, au fond, près d'une commode d'Ile-de-France en hêtre noirci. Terre cuite et toile peinte de Toulouse.
Martial Mendès, antiquaire décorateur.

Canapé corbeille de Nogaret.
Michel Descours.

Chaise dans le goût lyonnais,
avec sur la ceinture le motif sculpté
dit « grenade éclatée », cher
à Pierre Nogaret. Château de Saint-Just.
Jeanne Marcelpoil.

Chaises cannées de Nogaret.
Michel Descours.

Exceptionnel mobilier de salon, estampillé de Parmantier, à Lyon. Il comprend un canapé et six fauteuils. Leur tapisserie mordorée – vert et or – encadre des octogones ornés de figures mythologiques, toutes différentes. La ligne du dossier que prolonge celle du piètement est dite en sabre.
Figures d'égyptiennes noires en consoles d'accotoirs. Sabots en griffes de lion de même ton. Rare garniture d'origine au petit point de soie, tapisserie d'une grande délicatesse exigeant une habileté peu commune et une infinie patience. Pour ce salon, il a fallu le travail d'une famille entière pendant plusieurs mois. Michel Descours.

« Lyonnais, je vous aime. »

C'EST LE CRI DU CŒUR lancé par Napoléon, lors de sa chevauchée épique au retour de l'île d'Elbe, devant l'accueil enthousiaste que lui réserve la population de cette bonne ville. Il ne faut donc pas s'étonner des très beaux sièges Empire fabriqués ici, qui semblent traduire de façon imagée, colorée, moins prestigieuse qu'à Paris, peut-être, néanmoins plus savoureuse, le goût lyonnais pour ce fabuleux souverain. Des circonstances ont favorisé ce type de créations.

Les séjours à Lyon du pape Pie VII en 1804 et 1805 ainsi que ceux de l'Empereur venant le voir ont conduit à meubler spécialement le palais Saint-Jean. Aussi trouve-t-on signés par Parmantier des meubles Empire en bois polychrome encore marqués de la simplicité Directoire.

Nicolas Parmantier, ou Parmentier (1736-1801), reçu maître en 1768, a laissé un salon Louis XVI en bois doré, conservé à la Villa Ephrussi, à Saint-Jean-Cap-Ferrat. Son estampille ne permet guère pourtant de la distinguer de celle de son fils Antoine (1772-1816).

C'est celui-ci qui a meublé le salon du palais Saint-Jean. Il nous reste de lui également des salons Empire en noyer traité façon acajou dont des exemplaires passent parfois en ventes publiques. Le Musée historique de Lyon expose de lui deux fauteuils et une chaise Directoire.

En dehors des sièges, il nous reste de Nicolas Parmantier un dossier de lit Louis XVI, très rigoureux, annonçant déjà la sobriété du Directoire.

D'autres ébénistes sont attirés par ce style dit « à la grecque », ainsi des chaises de François Canot (1721-1786), beau-frère de Pierre Nogaret. Le Musée historique de Lyon et le Musée lyonnais des arts décoratifs, ainsi que le Musée d'art et d'histoire de Genève, conservent différents sièges portant son estampille. Fin XVIIIe-début XIXe, les menuisiers de Lyon tout en continuant à proposer des fauteuils et canapés Louis XV, fabriquent des sièges Louis XVI dans le dernier goût de Paris, lequel est d'une manière neuve.

Ce long canapé trois places d'époque Empire est illustré par une vivante scène de chasse mythologique avec char tiré par une paire de cerfs. Estampillé Parmantier à Lyon. Michel Descours.

Chaise Empire à dossier lyre polychrome et ployant (tabouret) assorti. Dans l'ancienne boutique des papiers peints panoramiques Zuber, à Lyon : Max Chaoul.
Meubles de Morin antiquités.

Fauteuil Empire.
Morin.

Les jolis bouquets de bois

CHAMBÉRY N'EST PAS SI LOIN, avec sa riche école de marqueteurs piémontais. Il a existé à Lyon des meubles plaqués comme ceux de Paris, donc atypiques ; en particulier quelques commodes Louis XV ou Louis XVI. Mais les ateliers de la ville sont plus occupés par des menuisiers que par de véritables ébénistes à la parisienne. Aussi la marqueterie n'apparaît pas comme une activité caractéristique de Lyon.

Cependant quelques meubles (bureaux féminins, coiffeuses, petites tables) se parent d'incrustations discrètes, à base de bois indigènes, figurant souvent des bouquets au naturel noués par un large nœud, nœud dont on retrouve un écho sur des sièges Louis XVI. Elles montrent un caractère naïf d'une grande saveur.

Les meubles marquetés du Lyonnais sont reconnaissables par l'aimable sinuosité de leurs lignes et leur relative simplicité, par comparaison, entre autres, avec les modèles à incrustations de la Bourgogne Sud ou de la Savoie.

La première, plus proche de la Franche-Comté où œuvre à Montbéliard la fameuse dynastie des Couleru, a produit des armoires très typées à surface assez exubérante avec mélange de bois et incrustations mouvementées. La Savoie, de son côté, laisse découvrir quelques nobles meubles où se juxtaposent des bois fruitiers et des ronces de bois formant des mosaïques de grande classe, relevées de larges filets noirs. Les meubles grenoblois de Hache ne sont pas loin... Ni les meubles bressans ornés de loupes de frêne bien ramageuses.

Lyon ne profite de ces influences qu'avec une circonspection et une distinction toutes urbaines qui lui sont vraiment caractéristiques. Ces illustrations de bois semblent bien faites pour raconter le charme discret d'une certaine bourgeoisie.

Petite travailleuse à incrustations de fleurs et rubans. Gros.

Coiffeuse ornée sur l'abattant central, portant au revers un miroir, d'une typique « marqueterie » lyonnaise au charme naïf. Y. Aubert-Froget.

Etonnante armoire de mariage dont les deux portes ouvrent de part et d'autre d'une pendule intégrée. Le corps violoné de la pendule est incrusté de colombes voletant au-dessus d'un nid et tenant une fine couronne de fleurs. Bouquet et ruban dans le goût lyonnais. Rosace puis bouquet en dessous. Filets de buis au fronton, autour des portes et du losange central. 222 x 51 cm. H : 280 cm. Château Saint-Just.

Armoire lyonnaise en noyer blond ornée d'incrustations en citronnier et sycomore vert et tabac. Au fronton, croix de Malte. Sur le dormant, équerre, compas et porte-mines, symboles maçonniques. Sur les panneaux, une bergère et un berger, que sépare un mouton incrusté sur le dormant. Pieds à arêtes saillantes. 148 x 70 cm. H : 284 cm. Rettig.

Aimable préfiguration de Marie-Antoinette à Trianon, une naïve bergère lyonnaise regarde, inquiète, son bel ami sur l'autre panneau.

Armoire en noyer, sauf les côtés en chêne. Les moulures et les sculptures ne sont pas aussi « grasses » qu'à Lyon, bien qu'elles soient loin de manquer de charme. Originaire de Panissières, à la frontière entre le Beaujolais et le Forez. Y. Aubert-Froget.

Le pays lyonnais

LE MOBILIER LYONNAIS, citadin par son opulence et la rigoureuse beauté de ses proportions, a influencé le mobilier des provinces voisines : la Dombes, le Beaujolais et le Forez.

L'appellation « le Lyonnais » désigne, dès le XVIe siècle, la généralité de Lyon, créée en 1542 par l'édit de Cognac. Elle succédait au diocèse de Lyon, luimême héritier du féodal comté du Lyonnais.

Sous l'Empire romain, la Lyonnaise de César Auguste, immense, gouverne la plus grande partie de la Gaule, y compris ce qui sera la Normandie et la Bretagne. Au Moyen Age elle se restreint à un modeste comté, réduit à l'immédiat environnement de la ville, entouré du fief des tristes Sires de Beaujeu au nord, du Forez à l'ouest, organisé autour du Forum Segusiavorum des Gallo-Romains, l'actuelle Feurs. Au sud, le Viennois gravite autour d'une importante capitale religieuse, devenue métropole économique, sur la rive gauche du Rhône, Vienne, tandis qu'à l'est, les comtes de Savoie commencent leur expansion. Les chanoines et l'archevêque de Lyon supplantent les comtes du Lyonnais à la Renaissance jusqu'au parrainage du roi de France appelé par les bourgeois.

Dans toutes ces régions, l'armoire lyonnaise a servi de base à des interprétations campagnardes bien qu'on n'y retrouve pas toute la rigueur de l'original.

En Beaujolais, l'armoire présente des formes plus molles qu'à Lyon, avec, par exemple, des pieds volutés en coquille d'escargot, comme on n'en trouve jamais dans la véritable armoire lyonnaise. Les sculptures se montrent moins nerveuses. Sur certaines, des incrustations de bois clair rappellent les modèles de Tournus.

Le Forez se signale par l'armoire stéphanoise, très répandue à Saint-Étienne et dans les vallées alentour. Dite armoire en S, elle se caractérise sur chaque porte par un petit panneau médian chantourné à double volute évoquant les sinuosités de cette lettre. Fabriquées jusqu'à la Première Guerre mondiale, ces armoires étaient réalisées semi-industriellement par de petits ateliers locaux à partir de gabarits. On y discerne, mais simplifiées,

appauvries, les découpes et moulurations rocaille propres au mobilier lyonnais du XVIIIe siècle.

Les lignes se montrent mécaniquement géométriques. C'est l'interprétation abâtardie du style Louis XV, sous l'influence de nouvelles techniques introduites par le machinisme et la production en série s'imposant dans la seconde moitié du XIXe siècle. Ce ne saurait surprendre dans la région stéphanoise, une des premières à s'industrialiser en France.

L'armoire stéphanoise suit ainsi des principes de l'armoire lyonnaise. On y reconnaît le double système de moulurations aux portes, la corniche cintrée profondément moulurée, chaque vantail à trois panneaux. En revanche, le fronton uni et les pieds galbés sur un sabot ne sont pas typiques de Lyon.

Ces ameublements rustiques se complètent, au XIXe siècle, de vaisseliers inconnus à Lyon. En Beaujolais, pays de vignerons modestes, qui n'a connu la gloire que depuis la fin de la Seconde Guerre mondiale avec la découverte de ses crus, ces meubles se révèlent d'une auguste simplicité. Ils sont par contre beaucoup plus emphatiques en Forez, où la population bénéficie en plus, peu ou prou, des retombées de l'industrialisation. On y retrouve des aspects « précieux » de la Bresse, avec des mélanges d'essences, tels que des panneaux en ronce de noyer, et aussi l'intégration d'horloges.

La liaison entre le Lyonnais austère et la Bresse au mobilier « riant » se fait à travers la Dombes, région naturelle d'une indiscutable originalité, constituée à l'époque glaciaire. Les moraines d'un immense glacier du Rhône formant barrage ont provoqué la création de nombreux étangs. Ce terroir abritait une population se suffisant d'un sol plutôt ingrat, donc peu favorisée. Mais il attirait, pour des loisirs halieutiques, de riches soyeux lyonnais qui y ont bâti d'agréables demeures, presque de petits châteaux. On trouve donc ici aussi bien des meubles fort simples que d'autres d'assez grande allure, presque lyonnais.

Ainsi, à la différence de Rouen qui, à la Renaissance, lui dispute le rang de seconde ville de France, Lyon n'a pas fait dépendre son style d'une province. L'armoire de Rouen n'est qu'une variante de l'armoire normande. Au contraire, Lyon impose à son environnement campagnard ses caractéristiques propres, imaginées par des artisans-artistes, formés aux belles leçons d'architectes et sculpteurs de grand renom. Ils ont été ainsi aptes à ennoblir de majesté un mobilier, devenu excellent témoin du prestigieux passé auréolant encore cette trop secrète cité.

Trouvée dans l'hôpital de Châtillon-sur-Chalaronne, dans la Dombes, une haute armoire inspirée par les lyonnaises, avec sa corniche à double ressaut et ses puissantes moulures. Corniche inversée sur pieds miches. 170 x 60 cm. H : 300 cm.

Très intéressante armoire du pays lyonnais. Elle présente la particularité d'une façade en léger dévers, le haut s'avançant légèrement, ce qui représente un travail de menuiserie d'une grande virtuosité. Côtés d'un galbe savant que rappelle la corniche débordante, sinueuse sur les côtés, arrondie au-dessus des montants et cintrée en chapeau de gendarme au-dessus de la façade. Frise de « postes » obliques au fronton. Tenat.

Au fronton d'armoires du pays lyonnais, entre Dombes et Beaujolais, s'inscrivent souvent des paniers de fruits, dont ici un exemplaire particulièrement réussi. Même frise que sur l'armoire précédente. Ostellerie du Vieux Pérouges.

La chaise des pays lyonnais est typique par sa forme carrée, très architecturée, aux beaux balustres bien tournés, d'un profil très dessiné, dépourvu d'ornements superfétatoires. Cette forme, née fin XVIIe, a perduré longtemps dans la région. La table, de même esprit, se ressent de quelque influence bourguignonne : XVIIe. Meubles en noyer. Brigitte Quilis Berthet.

Les nobles demeures de loisirs édifiées par les riches soyeux lyonnais dans la Dombes ont, comme à Venise, justement à cause de l'humidité propre à ce terroir d'étangs, établi leurs pièces de réception à l'étage.
Les cuisines confortables ont été installées au rez-de-chaussée, où dans ce pays de chasse et de pêche on sacrifiait avec bonheur aux joies gastronomiques. En voici une, toujours en fonction, honorée d'une fort belle pendule lyonnaise. Château de Marmont.

Armoire de mariage blasonnée avec écu à monogrammes au sommet de la corniche. Corbeille de mariage à la traverse inférieure. Originaire du Mâconnais mais elle est plus lyonnaise que mâconnaise. Riche décor sculpté. En noyer ramageux. H : 249 cm. Tri'Antique.

Inspirée de l'armoire lyonnaise, l'armoire de la région stéphanoise, à Saint-Étienne et alentour, présente un décor simplifié aux moulures moins opulentes. On l'appelle armoire en « S », à cause du contour du panneau central. En loupe de noyer. 146 x 58 cm. H : 246 cm. Sous l'escalier, le typique pétrin du Forez accueille une collection de soupières anciennes.

Très jolie petite armoire en merisier, gracieuse par ses proportions menues, comparativement aux dimensions des lyonnaises.
150 x 62 cm. H : 207 cm. Beaujolais.
Y. Aubert-Froget.

Forézienne, cette commode s'inspire des modèles lyonnais par ses rocailles sculptées aux extrémités et au centre des tiroirs. Façade galbée. Mains (poignées) pendantes tout à fait lyonnaises.

Fauteuil bonne femme à accoudoirs largement écartés comme le veut la mode lyonnaise. Pieds en balustres tournés de style Louis XVI, de même style que le dossier surmonté de pommes de pin stylisées. Château de Saint-Just.

Vaisselier rustique des Monts du Lyonnais portant une collection d'assiettes en faïence de Roanne. Panneaux défoncés qu'encadre une moulure mouvementée, chère à la région, aussi bien à Lyon qu'à Saint-Étienne.

Rustique vaisselier du pays lyonnais dans une salle à manger de maison de la région, aux fenêtres caractéristiques avec pose des rideaux à la mode de Lyon.

Originaire de Villié-Morgon, typique vaisselier d'un vigneron beaujolais. Portes en noyer sur structure en chêne. Chevillon.

Originaire de Panissières, exceptionnel vaisselier d'encoignure en noyer avec horloge incorporée. Les fines moulures en ruban sur la façade des tiroirs sont très typiques des portes du Forez. A l'angle, ravissante petite porte concave donnant accès à un espace de rangement.
220 x 147 cm. H : 237 cm.
Y. Aubert-Froget.

Très belle enfilade en noyer et loupe de noyer, d'époque Restauration, de la Dombes.
240 x 64 cm. H : 110 cm.
Y. Aubert-Froget.

Beau pétrin sculpté sur piétement à balustres tournés eux aussi à la mode de Lyon, avec de grands écarts entre chaque renflement. Musée du Vieux Pérouges.

Une moulure de grande grâce cerne le corps de cette horloge à grosse tête sous corniche en chapeau de gendarme. Fins motifs sculptés dont une étoile à six branches, répandus dans le Forez. A ses côtés, fauteuils comme on en voyait de nombreux dans les campagnes.
Gauchet antiquités.

Beaujolaise, une horloge violonée d'une silhouette très pure. Noyer ou merisier. Cadran émaillé de fleurettes polychromes, signé Gauthier à Villefranche. Musée des Arts et Traditions Marius Audin, à Beaujeu.

Dans toute maison bourgeoise, on trouvait à la salle à manger ces belles fontaines lave-mains en noyer sculpté et étain, en trois parties : réservoir, cuvette et seau. XVIIIe siècle. Ostellerie du Vieux Pérouges.

Salin, chaise sur coffre à sel,
avec dossier à cadre au sommet
cintré à double ressaut.
Ostellerie du Vieux Pérouges.

Nombreux dans la région lyonnaise, les salins, chaises à coffre pour contenir le sel, sont parfois remarquablement ornés, tel cet exemplaire à motifs de parchemin plissé et de rosaces quadrilobes (quatre pétales). Ostellerie du Vieux Pérouges.

Musées

RHÔNE

MUSÉE DES ARTS DÉCORATIFS,
34 rue de la Charité, 69002 Lyon.

MUSÉE HISTORIQUE DE LYON,
Hôtel de Gadagne, 10-14 rue de Gadagne,
Place du Petit Collège, 69005 Lyon.

MUSÉE DES HOSPICES CIVILS DE LYON,
1 place de l'Hôpital, 69002 Lyon.

MUSÉE MARIUS AUDIN,
Mairie, 69430 Beaujeu.

ILE-DE-FRANCE

MUSÉE DU LOUVRE,
Galerie des Objets d'art, 75001 Paris.

MUSÉE DES ARTS DÉCORATIFS,
107 rue de Rivoli, 75001 Paris.

MUSÉE DE CLUNY, Musée national du Moyen Age,
6 Place Paul Painlevé, 75005 Paris.

MUSÉE NISSIM DE CAMONDO,
63 rue de Monceau, 75008 Paris.

MUSÉE JACQUEMART ANDRÉ,
158 bd Haussmann, 75008 Paris.

ALPES MARITIMES

MUSÉE DE L'ILE-DE-FRANCE,
Fondation Ephrussi de Rotschild,
06230 Saint-Jean-Cap-Ferrat.

Antiquaires

MARTIAL MENDÈS, 1 rue Vélane, 31000 Toulouse.

PASCAL MOUFFLET,
30 boulevard de Lorraine, 06400 Cannes.

THIERRY MORIN, 6 rue Auguste Comte, 69002 Lyon.

GHISLAINE DAVID, 1 quai Voltaire, 75007 Paris.

RENÉ-PIERRE MILLET,
25 rue des Remparts d'Ainay, 69002 Lyon.

MICHEL DESCOURS, 44 rue Auguste Comte, 69002 Lyon.

RETTIG, 32 place de la Duchesse Anne, 56170 Quiberon.

JEAN-CLAUDE LIAUME, Tri'Antique,
3 avenue de la République, 21200 Beaune.

MADAME Y. AUBERT-FROGET,
« La Chevalière », 69430 Beaujeu.

TENAT, 6 rue Gambetta, 32300 Mirande.

PIERRE RICHARD, 41 rue Auguste Comte, 69002 Lyon.

FORAIN, 9 rue du Paquier, 74000 Annecy
et 35 rue Centrale, 74000 Albigny.

CHEVILLON, Au Bourg, 69220 Corcelles-en-Beaujolais.

ROBERT GROS, 01270 Verjon.

NOËL PERRIN, 01250 Jasseron.

NANOU GROS, Boutiques 1.102-1.108,
La Cité des Antiquaires, 117 boulevard de Stalingrad,
69100 Villeurbanne.

SYLVIANNE DOLFUS,
Boutique 1.25, La Cité des Antiquaires,
117 boulevard de Stalingrad, 69100 Villeurbanne.

BRESSET, 5 quai Voltaire, 75007 Paris.

JACQUELINE BOCCADOR, 1 quai Voltaire, 75007 Paris.

JEAN REY, 23 rue Auguste Comte, 69002 Lyon.

GAUCHET, Parc Giron,
rue de la Richelandière, 42100 Saint-Etienne.

BRIGITTE QUILIS BERTHET,
6 rue Vauban, 38000 Grenoble.

CHÂTEAU DE MARMONT,
Chambres d'hôtes
Geneviève Guido,
01960 Saint-André-sur-Vieux-Jonc.

Bibliographie

Le Mobilier bourgeois à Lyon
BERNARD DELOCHE et JEAN REY
L'Hermès, éditeur à Lyon. 1980.

Les Ateliers lyonnais de menuiserie
BERNARD DELOCHE
Éditions lyonnaises d'art et d'histoire, 1992,
(pour authentifier des estampilles de sièges).

Le Mobilier français du Moyen Age à la Renaissance
JACQUELINE BOCCADOR
Éditions Monelle Hayot. 1988.

Mise en page et couverture
Atelier Gérard Finel et Associés

Crédits photographiques
Christophe Raynaud de Lage, sauf :
Jean Verdier : pp. 10, 15, 26, 31, 34, 35, 48, 49,
51, couverture.
Bernard Ladoux : pp. 16, 17, 18, 19, 64, 65, 70.
Patrick Smith (stylisme Pierre Faveton) : pp. 30,
32, 33, 38, 39, 40, 41, 44, 45, 46, 53, 76, 78,
79, 80, 86.
D.R. : pages de garde, pp. 45, 47, 51, 54, 55.

10c
5
PERRACHE-VAISE
55. Lyon. Le quai St Vincent.